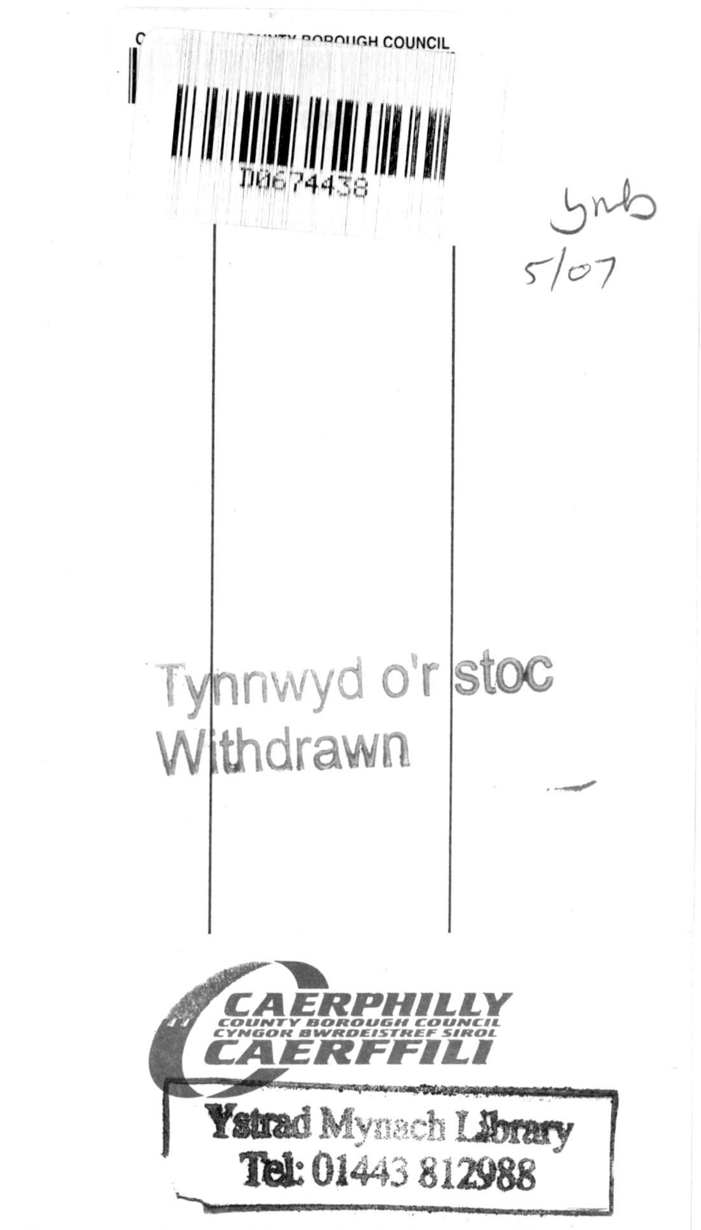

Meini Mawr Cymru

Mae llawer o feini a ffurfiau cerrig rhyfeddol mewn mannau anghysbell ym mhob cwr o Gymru ac mae rhyw stori neu chwedl yn perthyn i amryw ohonynt.

Cynnwys

Cwt y Filiast 4

Maen Llia 6

Carn March Arthur 8

Cylchoedd Cerrig Llanbryn-mair 10

Cerrig y Tair Llam 12

Carreg y Gog 14

Carreg Arthur 16

Carreg Lleidr 18

Barclodiad y Gawres 21

Castell Carreg, Sain Niclas 25

Carreg Samson 26

Carreg Cleddyf Glyndŵr 28

Cwt y Filiast

Eisteddai Ifan Goch y cawr ar ei graig uwchben afon Conwy. Cadair Ifan Goch oedd enw'r graig. Roedd Ifan wedi bod yn chwilio am ei ast drwy'r dydd ac wedi blino'n lân. Plygodd i lawr a rhoi ei ddwylo yn yr afon i godi dŵr i dorri'i syched.

"Hen ast wirion – yn gwrthod aros yn ei chwt er fy mod i wedi mynd ati i godi un taclus iddi yr ochr draw i'r dyffryn," meddai Ifan wrtho'i hun.

Wrth yfed o gwpan ei ddwylo, digwyddodd edrych i fyny a gallai weld ei ast – miliast fain oedd hi – yn sleifio'n ddistaw allan o'i chwt gan anelu am y mynyddoedd unwaith eto.

"Dos yn ôl! Dos yn ôl! Go drapia ulw las!" gwylltiodd y cawr gan godi carreg lefn o wely'r afon a'i thaflu o flaen trwyn y filiast.

Cafodd yr ast y fath fraw nes iddi redeg yn ôl i'w chwt i lechu. Ni chafodd Ifan Goch drafferth gyda'r ast yn crwydro o'i chwt ar ôl hynny.

Braf iawn yw cerdded i ben Cadair Ifan Goch heddiw – mae golygfa wych yn eich disgwyl o gopa'r graig. Ar y llethrau yr ochr draw i'r afon mae cromlech o'r enw Cwt y Filiast – cromlech Maen y Bardd yw enw arall arni. Ychydig

ymhellach draw oddi wrthi mae maen hir sy'n ddwy neu dair metr o hyd, yn sefyll ar ongl yn y ddaear. Ffon y Cawr yw un enw arni – a hon, yn ôl y stori, yw'r garreg a daflwyd gan Ifan i yrru'r filiast yn ôl i'w chwt.

Maen Llia

Wyddech chi ei bod yn waith sychedig bod yn faen hir? Mae rhai cerrig yn gorwedd ar lan afonydd neu yn rhan o waliau cerrig gyda ffos gerllaw iddynt. Mae'n hawdd i'r rheiny gael dŵr i dorri eu syched.

Ond meddyliwch am faen hir yn sefyll yn y ddaear yn uchel ar lechweddau Cymru, heb na ffos na ffynnon yn agos ato. Mae'r gwynt yn ei chwipio nos a dydd, a does wiw iddo symud modfedd gan mai sefyll ar y llechwedd yw ei waith, wrth gwrs.

Chwarae teg i'r meini, dydy hi ond yn deg iddyn nhw gael toriad bach bob hyn a hyn. Mae nifer o straeon am feini hir yn codi o'r ddaear ac yn symud yng Nghymru – ac amryw ohonynt yn gwneud hynny er mwyn cael diod, medden nhw!

Un o'r rheiny yw Maen Llia ar lethrau Moel Ystradfellte ym mlaenau Dyffryn Llia ar Fannau Brycheiniog. Mae'r maen hwn bron yn bedair metr o daldra a thros ddwy fetr o led. Dyna i chi glamp o garreg! Mae'n sefyll gyda'i ysgwyddau'n llinell berffaith rhwng y gogledd a'r de.

Ond mae'n rhaid iddo yntau gael gorffwys bach yn awr ac yn y man. Ar ganiad y ceiliog bob bore,

bydd Maen Llia'n hel ei draed i lawr y llechwedd er mwyn cael diod bach yn afon Nedd. Yna, mae'n mynd yn ôl i sefyll yn syth ar y mynydd weddill y dydd a'r nos.

Carn March Arthur

Daeth negesydd i lys y Brenin Arthur ym mryniau Clwyd gan weiddi'n uchel a chynhyrfus wrth y porth,

"I'r gad! Mae byddin anferth o Saeson yn nesu o gyfeiriad dinas Caer! Maen nhw eisiau dwyn ein gwlad oddi arnom! I'r gad!"

Galwodd y Brenin Arthur ar ei wŷr, ac yn fuan roedd Caer Arthur yn ferw gwyllt. Erbyn i fyddin y Saeson ddringo Moel Arthur, gwelsant fod Arthur ar gefn ei geffyl chwedlonol, Llamrei, ac yn chwifio'i gleddyf, Caledfwlch. Y tu ôl iddo roedd Marchogion y Ford Gron a llu mawr o Gymry. Bu'r frwydr yn atseinio dros y bryniau o doriad gwawr hyd fachlud haul.

Erbyn diwedd y dydd roedd byddin y Saeson yn cilio. Cythrodd Arthur ar eu holau, ac yn sydyn sylweddolodd iddo fynd yn rhy bell. Roedd wedi'i ynysu yng nghanol y Saeson. Sibrydodd yng nghlust ei geffyl a llamodd hwnnw yn ei flaen ar hyd y cribau. Aethant ymlaen at gopa Moel Fama, a'r Saeson yn dân gwyllt ar ei gynffon. Cafodd Arthur ei hun yn nesu at glogwyn anferth a rhoddodd Llamrei ei holl galon yn y naid.

Hwyliodd y march a'r marchog drwy'r awyr gan lanio gyda chymaint o rym nes bod ôl carn y march i'w weld ar garreg ar ochr y ffordd ymhell yr ochr draw i Foel Fama. Hon oedd carreg y ffin rhwng siroedd Dinbych a'r Fflint ar un adeg. Ailymunodd Arthur â'i farchogion i gael gwared â'r Saeson o'n gwlad.

Cylchoedd Cerrig Llanbryn-mair

Cyn bod sôn am dractor – na cheffylau gwedd hyd yn oed – arferai'r hen Gymry drin y tir gydag ychen, sef gwartheg mawr, cryfion. Roedd gan rai ohonynt gyrn hirion a'r enw arnyn nhw oedd 'ychen bannog'. Fel arfer, roedden nhw'n gweithio fesul pâr – yn llusgo aradr neu'n tynnu trol.

Un tro, roedd dwy o'r ych hyn wedi cael eu gwahanu – ac roedd bod ar wahân yn loes calon iddyn nhw. Roedd un yn byw ar fferm ar un ochr i Ddyffryn Twymyn, ger Llanbryn-mair, a'r llall yn byw ar fferm ar y llechwedd gyferbyn. Bob dydd, byddai'r ychen bannog yn sefyll ar fryncyn ar y naill ochr a'r llall i'r dyffryn yn brefu am ei gilydd. Y diwedd fu iddynt farw o hiraeth a thorcalon am ei gilydd.

Claddwyd yr ychen ar y ddau lechwedd, ond cyn eu rhoi yn y pridd cafodd y ddau gorff eu blingo – sef tynnu'r croen i ffwrdd. Agorwyd y crwyn dros feddau'r ychen a'u cadw yn eu lle drwy osod cerrig trymion yn gylch am ymylon y crwyn.

Mae'r crwyn wedi diflannu erbyn heddiw ond gellir gweld y ddau gylch cerrig – Lled Croen yr Ych a Newydd Fynyddog – yno hyd heddiw.

Dau gylch o gerrig i gofio am hiraeth yr ychen am ei gilydd.

Cerrig y Tair Llam

Mae diwrnod mabolgampau'r ysgol yn un o ddyddiau mwyaf hwyliog y flwyddyn, gyda phawb am y gorau'n cystadlu ar y gwahanol gampau. Erstalwm, roedd cyflawni rhai campau'n golygu llawer mwy nag ennill marciau neu fedal. Mae sawl stori am ddynion ifanc yn ennill cariadon drwy gyflawni rhyw gamp neu'i gilydd.

Hanner milltir o Bentraeth, Ynys Môn, ger y fynedfa i Blas Gwyn, mae tair carreg mewn cae yn nodi gornest o'r fath a ddigwyddodd rhyw fil a hanner o flynyddoedd yn ôl. Roedd gan Einion ap Geraint ferch brydferth iawn ac roedd Hywel ap Gwalchmai wedi syrthio mewn cariad â hi. Yn anffodus iddo fo, roedd gŵr lleol arall hefyd yn awyddus i'w phriodi.

Penderfynwyd torri'r ddadl drwy gynnal gornest neidio. Y dyn fyddai'n rhoi'r tair naid orau fyddai'n cael priodi'r ferch hardd. Mae'r cerrig i'w gweld yn y cae hyd heddiw yn nodi'r tair naid a roddodd Hywel; enillodd ef yr ornest ac ennill llaw ei gariad. Mae'n debyg iddo ddefnyddio techneg yr 'hwb, cam a naid' a neidio dros bymtheg metr bob tro. Dyma'r tro cyntaf i 'hwb, cam a naid' gael ei

chofnodi yn hanes y byd – ac mae'n cael ei chyfri'n gamp yn y Chwaraeon Olympaidd erbyn hyn. Clywsoch sôn am 'syrthio mewn cariad' – wel, 'neidio mewn cariad' wnaeth Hywel!

Carreg y Gog

Mae clywed cân y gog yn arwydd fod y gwanwyn yn cyrraedd, a doedd dim yn waeth gan yr hen Gymry na bod y gog yn hwyr yn canu. Hen haf sâl fyddai hwnnw.

Yn ôl y drefn, o ben Maen Brynach y canai'r gog gyntaf yn sir Benfro – carreg Geltaidd hardd ym mynwent eglwys Brynach Sant yn Nanhyfer yw honno. Ar ddydd Brynach Sant, sef y seithfed o Ebrill, y canai'r gog. Arferai pobl y plwyf gasglu ynghyd yn y fynwent i ddisgwyl am y gog – doedden nhw byth yn mynd i'r eglwys i glywed yr offeren nes byddai'r gog wedi clwydo ar y maen ac wedi canu i ddangos bod y gwanwyn wedi cyrraedd.

Un flwyddyn, bu'n aeaf caled iawn. Tybed a fyddai'r gwanwyn yn hwyr yn cyrraedd? Ond ar y seithfed o Ebrill, ymgasglodd pobl Nanhyfer yn y fynwent yn ôl eu harfer. O, roedd yr hen wynt yn chwipio'n oer y diwrnod hwnnw!

Aeth awr ar ôl awr heibio, heb olwg fod y gog am gyrraedd. Erbyn y pnawn roedd y dyrfa wedi rhynnu ac wedi blino'n lân. Dechreuodd nosi'n gynnar ond nid oedd dim sôn am y gog yn unlle.

"Peidiwch â thorri'ch calonnau," meddai'r offeiriad. "Mae'r gog yn siŵr o ddod â gobaith inni fel arfer."

Ar hynny, clywyd galwad wan yn y coed – "Cw-cw, cw-cw" – a chan ysgwyd ei blu'n flinedig, glaniodd y gog ar Garreg Brynach. Aeth y pentrefwyr i mewn i'r eglwys yn llawen.

Ond roedd y daith hir drwy'r gwyntoedd rhewllyd wedi bod yn ormod i'r gog druan. Ar ôl cyhoeddi ei neges fod y gwanwyn ar fin cyrraedd, disgynnodd yn farw wrth droed y maen.

Carreg Arthur

Carreg anferth ar lechwedd Cefn Bryn, Penrhyn Gŵyr, yw Coeten Arthur. Roedd y Brenin Arthur yn un o arwyr mawr y Cymry.

Mae hi'n garreg ryfeddol, yn pwyso tua 25 tunnell, gydag amryw o feini llai o'i chwmpas. Yn ôl y stori, roedd y Brenin Arthur yn teithio drwy'r ardal ar ei ffordd i ryfela yn erbyn y Saeson pan deimlodd rhyw grafu yn ei esgid. Plygodd i dynnu carreg fechan ohoni a thaflodd hi i'r awyr. Teithiodd y garreg ryw saith milltir a glanio yng Nghefn Bryn. Yno, tyfodd a thyfodd nes cyrraedd y maint y mae hi heddiw.

Ar nosweithiau lleuad lawn, byddai merched yr ardal yn dod at y garreg a thylino bara cheirch a mêl arni. Yna, byddent yn cropian o'i chwmpas dair gwaith. Os byddai eu cariadon yn ymddangos bryd hynny, byddai'r rheiny'n ffyddlon, ond os nad oeddent wedi dod yno yna nid oedd y dynion yn bwriadu eu priodi.

Carreg Leidr

Mae Ffynnon Clorach, ger Llannerch-y-medd, yn llecyn sanctaidd iawn yng nghanol Ynys Môn. Yn Oes y Seintiau, arferai dau sant gyfarfod yno. Teithiai Cybi o Gaergybi i gyfarfod â Seiriol o Ynys Seiriol, ym mhen arall Môn, a byddent yn cyfarfod wrth Ffynnon Clorach. Does ryfedd fod eglwys bwysig wedi'i sefydlu heb fod ymhell o'r ffynnon.

O dro i dro byddai lladron yn torri i mewn i eglwysi ac yn dwyn trysorau ohonynt. Roedd gŵr yn byw ger eglwys Llannerch-y-medd ac roedd yn credu y byddai'n cael llawer o arian am yr hen Feibl mawr oedd yn yr eglwys. Disgwyliodd y dyn tan ganol nos – ond dyna hen dro, meddai wrtho'i hun, roedd y lleuad yn rhy ddisglair iddo fentro i'r eglwys y noson honno. Ofnai y byddai rhywun yn ei adnabod yng ngolau'r lleuad.

Ond toc wedi hanner nos, daeth cwmwl mawr du i guddio'r lleuad. "Dyma fy nghyfle," meddai'r lleidr, ac aeth yn llechwraidd am yr eglwys gan roi'r Beibl mawr mewn sach a'i gario adref ar ei gefn. Cerddodd wrth fôn y cloddiau tywyll, ond pan oedd ar hanner cam, cododd y lleuad ei ben

o'r tu ôl i'r cwmwl unwaith eto a daliwyd y lleidr yn ei belydrau.

Trowyd y lleidr yn garreg, gyda'r sach ar ei gefn yn ffurfio lwmpyn ar ben y maen. Yn ôl y stori, am hanner nos ar noswyl Nadolig, mae Carreg Lleidr yn neidio o'r ddaear ac yn rhedeg dair gwaith o amgylch y cae!

Barclodiad y Gawres

Un tro, roedd cawr a chawres yn teithio dros y bwlch o Ddyffryn Conwy i Ynys Môn. Wrth ddringo'r llechwedd roedd y cawr yn casglu cerrig ar gyfer codi pont i groesi'r stribed cul o ddŵr rhwng yr ynys a'r tir mawr ac yn rhoi'r cerrig i'w wraig i'w cario yn ei barclod – hen air am ffedog y dyddiau hynny.

"Hei! Dyna i ti garreg dda ar gyfer y bont newydd," ebychodd y cawr a llamu i fyny Tal-y-fan i nôl clamp o faen.

"O! Mae'r cerrig yma'n drwm!" cwynai'r gawres. "Pam mai fi sy'n gorfod eu cario?"

"Twt! Dim ond llwyth bach sydd yn y barclod yna!" wfftiodd y cawr gan godi dwy neu dair carreg gron arall iddi.

"O! Faint o daith ydi hi eto?" ochneidiodd y gawres.

"Fyddwn ni ddim yn hir cyn cyrraedd, cariad," atebodd. "Yli, dyma ddwy garreg hir wnaiff yn iawn fel sylfaen i'r bont – mi wnaf i gario'r rhain fy hun," meddai'r cawr yn glên.

Roedd y llwybr yn dal i godi'n serth, a'r haul yn taro'n boeth.

Toc daeth crydd i'w cyfarfod, yn cario dwsin o esgidiau tyllog; roedd yn mynd â nhw adref i'w trwsio.

"Pa mor bell ydi'r daith i Fôn, gyfaill?" holodd y cawr.

"Weli di'r esgidiau yma?" holodd y crydd gyda direidi yn ei lygaid. "Mi gerddais y chwe phâr yn dyllau ar y daith hir oddi yno."

"Bobol annwyl bach!" gwylltiodd y gawres. "Dydw i ddim yn mynd i gario'r baich yma gam ymhellach." A thywalltodd gynnwys ei barclod ar y rhostir.

"A dyma finnau'n rhoi'r ddau faen yma i lawr," cytunodd y cawr, gan eu taro ar eu pennau yn y ddaear.

Enw'r adwy honno bellach yw Bwlch y Ddeufaen, ac mae pentwr o gerrig o'r enw Barclodiad y Gawres i'w gweld yno o hyd. Pe bai'r cawr a'r gawres wedi cerdded ganllath ymhellach, byddent wedi gweld Ynys Môn. Dyna i chi walch drygionus oedd y crydd!

Castell Carreg, Sain Niclas

Roedd yr hen Gymry'n gwgu ar y bobl oedd yn gwrthod cadw'r Sul yn sanctaidd. Doedd wiw i'r ffermwr fynd i weithio ar ddydd Sul, waeth pa mor dda fyddai'r tywydd. Doedd y plant ddim yn cael chwarae, chwaith, a byddai pobl yn eu dychryn gan ddweud pethau fel "wyt ti'n cofio'r hen ddyn hwnnw gafodd ei yrru i'r lleuad am iddo hel coed tân ar ddydd Sul?"

Roedd pobl erstalwm yn credu bod y tylwyth teg yn byw mewn rhai cromlechi. Mae'r siambrau cerrig hyn yn hen iawn – rhai ohonyn nhw dros bedair mil o flynyddoedd oed. Mae rhyw gyfrinach a hud a lledrith yn perthyn iddyn nhw, a does ryfedd eu bod yn cael eu cysylltu â'r tylwyth teg.

Un o'r cromlechi hynny yw Castell Carreg, Sain Niclas ger Caerdydd. Roedd y tylwyth teg yn enwog am hudo pobl gyffredin i ddawnsio gyda nhw, a doedd dydd Sul ddim yn wahanol i'r un diwrnod arall iddyn nhw. Aeth rhai o ferched Sain Niclas i ddawnsio gyda'r tylwyth teg o gwmpas Castell Carreg – ond gan ei bod yn ddydd Sul, trowyd pob un ohonyn nhw'n garreg! Mae'r cerrig llai i'w gweld o gwmpas carreg fawr y gromlech hyd heddiw.

Carreg Samson

Rhwng Trefin ac Abercastell, saif cromlech arbennig iawn ar dir Tŷ Hir – mae chwech o feini hirion yn cynnal y maen copa anferth sy'n bum metr o hyd a thros ddwy fetr o led. Mae'n rhaid ei fod yn pwyso tunelli!

Enw'r gromlech yw Carreg Samson. Mae stori am Samson yn y Beibl, wrth gwrs – roedd yn ŵr eithriadol o gryf. Roedd gan y Celtiaid sant o'r enw Samson hefyd, sant o dde Cymru oedd yn fab i ddyn o Lydaw. Bu Samson yn abad Ynys Bŷr ger Dinbych-y-pysgod yn sir Benfro ar un adeg.

Nid dynion tawel, tyner oedd y seintiau Celtaidd. Roedden nhw'n gorfod wynebu peryglon mawr a gelynion ffyrnig. Roedd yn rhaid iddyn nhw fod yn gryf yn gorfforol, yn ogystal â chryf yn yr ysbryd yn aml. Yn ôl sawl stori amdano, mae'n rhaid bod Samson yn sant eithriadol o bwerus. Ger Aberdaron yn Llŷn, mae carreg ar ben Mynydd yr Ystum gyda thyllau ynddi – ôl bysedd Samson, medden nhw, ar ôl i'r sant daflu'r maen i'r copa. Mae hen rigwm yn yr ardal:

Samson Gawr
Daflodd garreg fawr
I ben Mynydd Ystum
O ben Mynydd Mawr.

Yn ôl y stori, cododd Samson y maen copa trwm a'i osod yn dwt ar ben y gromlech – a hynny gan ddefnyddio dim byd ond ei fys bach!

Carreg Cleddyf Glyndŵr

Un arall o arwyr mawr y Cymry oedd Owain Glyndŵr. Cafodd gyfnod llwyddiannus fel arweinydd pan unodd y Cymry i gefnogi ei freuddwyd am ryddid i'r wlad a'i phobl. Am flynyddoedd lawer roedd gobaith y bydden nhw'n llwyddo hefyd.

Ond daeth tro ar fyd ac fe wasgodd byddinoedd mawr brenin Lloegr ar bob castell, tref a phentref yng Nghymru. Llosgwyd y rhan fwyaf o'r tai yn lludw ac roedd y Cymry'n ofni bod y diwedd ar fin dod. Roedd llai a llai o filwyr yn aros yn ffyddlon ym myddin Glyndŵr.

Roedd Owain wedi bod yn nhref Corwen yn ceisio ennill cefnogwyr, ond mae'n debyg na chafodd lawer o hwyl arni. Bu'n rhaid iddo gilio'n ôl i fynyddoedd y Berwyn gyda dim ond llond llaw o wŷr triw i'w ganlyn.

Pan oedd ar Ben y Pigyn, bryn serth y tu ôl i eglwys Corwen, trodd yn ôl i edrych ar y dref.

"Y llyfrgwn! Y ffyliaid gwangalon!" gwaeddodd. Yn ei wylltineb, tynnodd ei gleddyf o'r wain a'i daflu at yr eglwys.

Glaniodd y cleddyf ar glwt go feddal o dir ac